Ainsi v

Max et Lili
leur metier

Dominique de Saint Mars

Serge Bloch

CALLIGRAM

CHRISTIAN GALLIMARD

Série dirigée par Dominique de Saint Mars

© Calligram 2016
Tous droits réservés pour tous pays
Imprimé en Italie
ISBN : 978-2-88480-712-8

5

6

8

* Culture générale : c'est quand on sait des choses sur la science, l'histoire, les arts, la littérature... qui permettent de se faire son opinion pour discuter.

* Certificat d'aptitude professionnelle (CAP) : c'est un diplôme d'études secondaires qui forme à un métier précis.

16

* Retrouve le nouveau travail de Paul dans *Le père de Max et Lili est au chômage*.

18

Et si ça marche pas, je serai présidente de la République, ou vétérinaire, ou agricultrice bio ou policière ou pâtissière !

Ah non, pâtissière, c'est moi !! Ou alors footballeur, pour avoir la retraite à 40 ans, inventeur de voitures qui polluent pas, ou animateur, ou même « top chef » !

On a entendu dire qu'il y avait un anniversaire, par ici !!

Bon anniversaire, mon vieux Jérôme !

Oh !

Ben, qu'est-ce qu'il a ?

* Retrouve Max dans *Max veut sauver les animaux.*

23

24

25

31

* Mondialisation : on vend, on achète, on produit, on travaille, on partage avec tous les pays.
** Geek : c'est quand on est passionné par un sujet précis, l'informatique...

* Assurance : on paie une assurance pour se faire rembourser en cas d'accident.

34

35

37

38

Et toi...

Est-ce qu'il t'est arrivé la même histoire qu'à Max et Lili ?
Réponds aux deux questionnaires...

Si tu sais ce que tu voudrais faire plus tard...

Ça te donne un projet, un but, même si tu en changes, et l'envie d'apprendre à l'école, de découvrir la société ?

Quel est le métier qui te plairait ? Comment en as-tu eu l'idée ? As-tu déjà posé des questions à un professionnel ?

Tu aimerais un métier qui te passionne ? qui fait gagner beaucoup d'argent ? qui te laisse du temps libre ?

Un métier pour inventer, aider les autres, faire avancer la société ? pour t'épanouir ou réparer tes manques ?

Connais-tu le métier de tes parents ? Es-tu allé sur leur lieu de travail ? Voudrais-tu faire comme eux ?

Sais-tu en quoi tu es bon ? et moins bon ?
pour t'améliorer et transformer tes défauts en qualités ?

Tu n'as pas envie de penser à l'avenir ?
Tu préfères vivre le moment présent et jouer ?

Ton père ou ta mère ne trouvent pas de travail ?
On en parle trop ? Ça t'inquiète d'être pareil ?

Tu n'aimes pas trop le métier des gens autour de toi ?
Trop fatigant ? pas intéressant ? dangereux ?

Tu te trouves nul en classe ou tu as un handicap
et tu as peur que ça soit difficile de trouver un métier ?

Tu t'intéresses à tout ? Tu aimes apprendre ?
Mais tu n'as pas envie de choisir maintenant ?

Tu as des expériences de travail dans la vie réelle ?
Cuisiner ? ranger la boîte à outils ? laver la voiture ?

**Après avoir réfléchi
à ces questions
sur les métiers,
tu peux en parler
avec tes parents ou tes amis.**

Dans la même collection

Application Max et Lili disponible sur

App Store

Google play

Suivez notre actualité sur Facebook
https://www.facebook.com/MaxEtLili